D1358560

Lucy psychiatre

Collection dirigée par Lidia Breda

Charles M. Schulz

Lucy psychiatre

Présenté par Claude Moliterni

Rivages poche
Petite Bibliothèque

Traduit par Édouard François,
Anne Frognier et Frank Reichert

Couverture : D. R.

© 2002, Éditions Payot & Rivages
pour la présente traduction
106, bd Saint-Germain – 75006 Paris

ISBN : 2-7436-0921-4
ISSN : 1158-5609

Préface

Charles Monroe Schulz est né en 1923 dans l'État du Minnesota.

Ce n'est pas à l'Académie ou à l'Université qu'il doit son coup de crayon mais à un don du ciel et aux conseils reçus en suivant des cours par correspondance à l'Art Instruction Inc. Après la guerre, Schulz y occupe un poste de professeur, dans la section dessin animé. Tout en travaillant pour l'Art Instruction, il publie déjà ses dessins dans le *Saturday Evening Post*. Mais c'est dans le *St Paul Pioneer Press*, en 1950, qu'apparaissent les *Peanuts* pour la première fois.

Charles Schulz, pour cette bande dessinée, est récompensé de ses efforts par le trophée Reuben, la plus haute distinction annuelle de la National Cartoonists Society. En 1990, il reçoit la cravate de commandeur des Arts et Lettres, lors de l'exposition consacrée aux quarante ans de Snoopy au musée des Arts décoratifs, à Paris. Il meurt dans la nuit du 12 au 13 février 2000, le jour où il avait été décidé que sa dernière planche du dimanche paraîtrait dans la presse.

Malgré ses succès, Schulz était resté l'homme calme et rangé de ses débuts. Marié et père de quatre enfants, il ne buvait ni ne fumait, et n'employait pas d'assistants, contrairement à bon nombre de ses confrères. Lorsqu'il ne dessinait pas, ses occupations favorites étaient le golf, le bridge, la lecture et la musique classique. Ajoutons également qu'il était profondément croyant et qu'il appartenait à la congrégation The Church of God. C'est dans la tête de cet homme, coiffé en brosse et portant des lunettes, que sont nés les *Peanuts*.

Les *Peanuts* sont une réussite fabuleuse. Connus dans le monde entier, ils ont été publiés dans plus de 2 500 quotidiens, et firent de leur créateur, Charles M. Schulz, la cinquième fortune des États-Unis.

Mais il est temps de faire les présentations de la famille.

Voici Charlie Brown, plein de bonne volonté, malgré sa malchance chronique ; Schroeder, qui interprète tout Beethoven sur un piano d'enfant ; Linus et sa couverture de laine qui le protège comme une armure ; Sally, la petite sœur de Charlie Brown, amoureuse de Linus et ennemie des mathématiques. Et surtout Snoopy, le chien esthète et individualiste, qui résume toute sa philosophie en une seule phrase : « Certains naissent hommes, d'autres chiens, et c'est moi qui ai eu la chance de naître chien. » Snoopy, nous l'adorons tous et pourtant c'est un chien mégalo, lâche et mythomane. Il n'a d'ailleurs plus grand-chose à voir avec un chien, car sa lucidité est terrifiante. Tour à tour écrivain, dragueur des plages, catcheur célèbre, capitaine d'une brigade de sauvetage, détective, chef scout, héros de la Première

Guerre mondiale menant un combat aérien sans merci contre le « Baron rouge », il s'attribue toujours le beau rôle. Il n'y a qu'une chose qui compte pour lui dans la vie, c'est la nourriture.

Lucy, la sœur aînée de Linus, est une chipie au mauvais caractère, psychiatre en herbe — qui aime Schroeder sans espoir, mais sans se résigner.

Lucy est, en général, considérée par le gang des Peanuts comme une horrible chipie. Pourtant, par son dynamisme et son entrain, elle est une des protagonistes les plus intéressantes de ce comic-strip, créé en 1950.

Schulz, dans une interview donnée à *Time Magazine*, affirmait que l'épopée des Peanuts n'avait vraiment démarré qu'avec l'arrivée de Lucy. Ses amis reconnaissent qu'elle est jolie, mais elle perd cette beauté dès qu'elle se met en colère et révèle son vrai caractère.

Lucy est ambitieuse et même intéressée. Elle rêve d'épouser un célèbre concertiste qui donnerait un récital au Hollywood Bowl de Los Angeles. Ainsi, elle serait riche, et aurait aussi à sa disposition une belle voiture avec chauffeur, une superbe villa sur les hauteurs de la ville, une garde-robe abritant toutes les plus grandes griffes de la haute couture, un haras et un jardin à la française...

Quand elle joue au base-ball, elle imagine tous les prétextes et astuces pour arracher à l'équipe adverse la victoire. Si elle perd, elle pousse des cris et refuse de le reconnaître.

N'oublions pas que Lucy a été la seule de la bande à avoir été renvoyée de l'école maternelle.

Dès sa plus tendre enfance, elle s'est révoltée contre l'autorité paternelle. De temps en temps, elle est privée de son gâteau d'anniversaire, car elle n'a pas été une gentille petite fille. Elle devient alors folle et piaffe de colère. Linus, qui connaît les sautes d'humeur de sa sœur, lui conseille de reconnaître ses torts, d'aller voir sa mère, de s'excuser platement et de lui dire qu'elle a bien eu raison de la priver de son *apple pie* annuel. Convaincue par son frère, la tête baissée en signe de soumission, elle se présente devant sa mère et s'apprête à lui demander pardon. À cet instant, son naturel reprend le dessus et elle lui crie : « Plutôt crever ! »

Lucy, la « grande gueule », passe son temps à hurler après Snoopy qui l'exaspère. Elle ne comprend pas l'attitude de Charlie Brown envers son chien.

D'ailleurs, elle se moque de Charlie Brown. Chaque année, elle lui propose, d'un air innocent, de shooter dans le ballon de football qu'elle a disposé à quelques mètres de lui. Charlie, pourtant méfiant, se laisse finalement convaincre, court et shoote dans le vide, au grand plaisir d'une Lucy hilare qui a subtilisé le ballon au dernier moment.

Ensuite, elle fait une fixation sur Linus. Elle est sans cesse derrière lui pour éteindre le programme de TV qu'il regarde. Elle piétine sa couverture et balaie d'un geste rageur les châteaux de sable construits patiemment. Linus est son souffre-douleur. Elle ne comprend pas l'entêtement de son frère qui, chaque année au moment

10

de Halloween, se rend, accompagné de Sally, dans le champ de citrouilles, pour attendre The Great Pumpkin[1] !

Enfin, Schroeder fait aussi partie de ceux qu'elle martyrise, bien qu'elle ait un penchant pour lui. Elle n'hésite pas à donner des coups de pied dans son piano ; profitant d'un moment d'inattention de sa part, elle fracasse le buste de Beethoven d'un coup de batte de base-ball.

Quelquefois, elle a des moments de faiblesse : elle avoue à Linus qu'elle est à la recherche des bons côtés de la vie. Celui-ci lui répond : « Eh bien, songe que tu as un petit frère qui t'aime. »

À cette déclaration, Lucy fond en larmes. Mais ce moment de faiblesse est fugitif. Elle se ressaisit et affirme : « Personne ne me marchera sur les pieds. Si quelqu'un doit marcher sur les pieds des autres, ce sera moi ! »

Pourtant, au début des années cinquante, les Peanuts se moquaient de la psychanalyse. Sally cherchait toujours le bon moment pour coincer Chuck et lui raconter son rêve. Elle lui en demandait la signification. Il est vrai que, quelle que soit la transparence d'un songe, quelles que soient l'intuition et l'expérience du psychanalyste, le rêve nécessite un travail d'interprétation.

C'est ainsi que Charlie Brown, après avoir longuement réfléchi, répond laconique : « Je crois que tout simplement cela signifiait que tu dormais. »

1. La Grande Citrouille.

Mais les années passent et ce gang de névrosés est, à ce moment-là, à la recherche de soi-même.

Pour ce rôle capital au sein des Peanuts, Schulz choisit tout naturellement Lucy. Son caractère autoritaire et sa manière bien à elle d'extérioriser ses propres problèmes la rendaient particulièrement apte à jouer les psychiatres.

« Me connaître, c'est m'aimer », affirme-t-elle. En fait, c'est une grande gueule. Lucy est ambitieuse. Elle dit ce qu'elle pense. Et lorsqu'elle s'installe derrière son stand de limonade transformé en cabinet psychiatrique, où elle conseille depuis quarante ans, pour la modique somme de cinq *cents*, on peut lire : *The doctor is in.*

Lucy, pragmatique, n'a pas mis longtemps à découvrir les règles d'or de toute analyse.

La première : ne jamais oublier de se faire payer. Tous les spécialistes sont très conscients de la valeur de l'argent dans l'analyse. N'oublions pas que le patient est à même d'apprécier les qualités de son médecin en fonction du prix qu'il doit payer.

Quand Chuck vient s'asseoir devant le stand de Lucy et qu'il l'informe que son traitement est très efficace, Lucy sort de son cabinet et augmente dans la minute le prix de sa consultation !

La seconde : Lucy est catégorique. Elle n'hésite jamais lorsqu'elle donne les médications à suivre. Devant la confiance en soi de leur psychiatre, ses clients sont convaincus et les résultats sont efficaces.

La troisième : c'est surtout quand elle occupe son poste de psychiatre que Lucy montre sa lucidité. Il est vrai qu'avec les autres elle ne s'embarrasse pas de pieux mensonges ni de précautions qu'elle jugerait inutiles : ne faire aucun effort de politesse, rester en toutes circonstances fidèle à son naturel...

Lorsque Lucy est de mauvaise humeur, généralement après les fêtes de fin d'année, elle entre en dépression. Elle conspue vertement ses malades, lesquels se sentent tout à coup moins seuls et s'en retournent chez eux tout ragaillardis.

Mais Lucy ne résout pas toujours les problèmes de ses patients. Elle fait semblant de les écouter. La plupart des gens n'en demandent d'ailleurs pas plus à leur médecin de famille.

Dans les années soixante, Lucy ressentit le besoin d'y voir clair dans ses rapports avec Schroeder. Prenant place tour à tour devant et derrière son stand, elle s'autoanalysa. Son constat : « Enquiquineuse, capricieuse, autoritaire, responsable des angoisses de Charlie Brown, je suis Lucy. Ma seule faiblesse : mon amour pour Schroeder, qui, lui, n'aime que Beethoven. »

Mais elle conseille à Schroeder de ne pas penser que Beethoven était sourd, si cette idée le déprime.

La Palice était peut-être un maître en psychanalyse... Lucy, qui s'efforce d'être gentille avec Schroeder, se voit récompensée de ses efforts quand celui-ci lui répond qu'il n'est pas correct pour une jeune fille de téléphoner à un garçon. Il est certain, en tout cas, que la simplicité de sa logique a profondément marqué Lucy.

Bien qu'elle soit agressive et hargneuse, elle a cependant parfois des moments de tendresse, pour Schroeder par exemple. Pour satisfaire ses propres inhibitions, Lucy cherche à modifier la façon d'être de ses congénères, qu'il s'agisse de Snoopy ou, plus souvent, de Charlie Brown. Elle ne s'avoue jamais vaincue, sauf, cas extrêmement rare, quand un fond de franchise revient à la surface et l'oblige à reconnaître son échec. Ainsi, si Snoopy s'obstine à danser, malgré ses remontrances, elle finit par danser avec lui.

L'important, pour elle, est de reprendre le contrôle de la situation sans perdre la face. À Sally, qui avoue avoir très peur de l'école, elle indique froidement que tout le monde est dans son cas.

Claude MOLITERNI

Lucy psychiatre

C'EST GROTESQUE !

TU DEVRAIS AVOIR HONTE, CHARLIE BROWN !

LE MONDE ENTIER S'OUVRE À TOI ! LA BEAUTÉ T'ENVIRONNE DE TOUTE PART ! IL Y A TANT À FAIRE... TANT DE GRANDES CHOSES À ACCOMPLIR !

NUL N'ARPENTE LA TERRE EN SOLITAIRE ! NOUS SOMMES DANS LE MÊME BATEAU, CHAQUE GÉNÉRATION REPREND LE FLAMBEAU DES MAINS DE LA PRÉCÉDENTE !

TU AS RAISON, LUCY ! TU M'AS FAIT VOIR LES CHOSES D'UN AUTRE ŒIL...

JE ME RENDS COMPTE À PRÉSENT QUE J'APPARTIENS À CE MONDE... JE NE SUIS PAS SEUL... J'AI DES AMIS !

CITE-M'EN UN !

17

PEANUTS

ASSISTANCE
PSYCHIATRIQUE 5¢

5¢

JE SUIS TRÈS NERVEUX,
AS... CES TEMPS-CI...
PSYCHI?

5¢

1-28

AS...
PSYCHI:

TOUT ME BOULEVERSE...
JE SUIS SANS ARRÊT
FÉBRILE...

5¢

APPRENDS À TE DÉTENDRE...
ÇA FERA CINQ CENTS.

5¢

SCHULZ

PEANUTS

TU TE RAPPELLES
QUAND LES
ENFANTS TENAIENT
DES STANDS DE
LIMONADE ?

JE ME DEMANDE POURQUOI ON
N'EN VOIT PLUS AUTANT...
QU'A-T-ON MIS À LA PLACE ?

ASSISTANCE
PSYCHIATRIQUE 5¢

LE DOCTEUR
EST LÀ

TE VOILÀ RENSEIGNÉ !

SCHULZ

5-4

18

PEANUTS

ASSISTANCE PSYCHIATRIQUE 5¢

LE DOCTEUR EST **LÀ**

QUAND TU DIS "LE DOCTEUR EST LÀ" FAIS-TU ALLUSION À SA PLACE DANS LA SOCIÉTÉ ?

VEUX-TU DIRE QU'IL EST "LÀ" COMME CERTAINS PASSE-TEMPS "SE POSENT LÀ" TANDIS QUE D'AUTRES SERAIENT "DÉPASSÉS", SELON LES GENS INSTRUITS ET BRANCHÉS ? OU BIEN...

5-5

PAF!

LE DOCTEUR EST **LÀ**

MOI QUI CROYAIS TOUS LES MÉDECINS PATIENTS, HUMAINS ET COMPRÉHENSIFS !

SCHULZ

PEANUTS

ASSISTAN PSYCHIATRIQ

LE DOCTEUR EST **LÀ**

JE ME SENS INDÉSIRABLE ET INSIGNIFIANT.

9-11

BON, REVIENS DEMAIN ET NOUS DISCUTERONS PLUS LONGUEMENT DE CE PROBLÈME.

D'ACC, MERCI, M'MAN

PSYCH ATRIQUE 5¢

LE DOCTEUR

"M'MAN"?!

PSYCHIATRIQUE 5¢

LE DOCTEUR EST **LÀ**

IL Y A UNE LUEUR D'ESPOIR LORSQUE L'ANALYSTE DEVIENT UNE FIGURE PARENTALE POUR SON PATIENT.

PSYCHIATRIQUE 5¢

LE DOCTEUR

SCHULZ

19

9-13

ASSISTANCE
PSYCHIATRIQUE
5 CENTS
MÉTHODES MODERNES

ASSISTANCE
PSYCHIATRIQUE 5¢

ASSISTANCE
PSYCHIATRIQUE 5¢

ASSISTANCE
PSYCHIATRIQUE 5¢

9-15

QUE FAIRE LORSQUE LE
PATIENT NE DIT PAS UN MOT ?

ASSISTANCE PSYCHIÁTRIQUE 5¢

LE DOCTEUR EST LÀ

QUE DIABLE FABRIQUES-TU ICI ?

PSYCHIATRIQUE 5¢

LE DOCTEUR EST LÀ

ASSISTANCE PSYCHIÁTRIQUE 5¢

LE DOCTEUR EST LÀ

JE NE SUIS PAS EN GRANDE FORME !

MA VIE DÉBORDE D'APPRÉHENSIONS ET D'ANXIÉTÉ... SEULE CETTE COUVERTURE ME PERMET DE TENIR... J'AI BESOIN D'AIDE !

EH BIEN, COMME ON DIT À LA TÉLÉ, TA LUCIDITÉ INDIQUE AU MOINS QUE TU N'ES PAS TROP ATTEINT...

EUR

NOUS DEVRIONS PEUT-ÊTRE METTRE LE DOIGT SUR CES CRAINTES... SI NOUS POUVONS DÉCOUVRIR CE QUI T'EFFRAIE, NOUS PARVIENDRONS SÛREMENT À LE NOMMER.

6-4

DE QUOI AS-TU PEUR ? DES RESPONSABILITÉS ? EN CE CAS, TU SOUFFRES D'HYPENGIPHOBIE !

CE N'EST PAS TOUT À FAIT ÇA...

DES CHÂTS, ALORS ? SI TU EN AS PEUR, TU SOUFFRES D'AILUROPHOBIE !

EH BIEN, SI L'ON VEUT... MAIS JE NE SUIS PAS SÛR...

AURAIS-TU PEUR DES ESCALIERS ? IL S'AGIRAIT ALORS DE CLIMACOPHOBIE !

TU SOUFFRES PEUT-ÊTRE DE THALASSOPHOBIE... LÀ PEUR DE L'OCÉAN ! OU DE GEPHYROPHOBIE, LÀ PEUR DE FRANCHIR UN PONT...

VOIRE DE PANTOPHOBIE... TU CROIS QU'IL S'AGIT DE PANTOPHOBIE ?

C'EST QUOI, LA PANTOPHOBIE ?

LA PEUR DE TOUT...

C'EST ÇA !!!

Schulz

21

22

PEANUTS

ASSISTANCE PSYCHIATRIQUE 5¢

VIVRE, C'EST VIVRE ! L'ESSENTIEL, C'EST DE VIVRE !

LE DOCTEUR EST LÀ

LES GENS VIENNENT ME DEMANDER COMMENT ILS DOIVENT VIVRE... JE LEUR RÉPONDS QUE VIVRE, C'EST VIVRE ! QUE C'EST VIVRE QUI FAIT LA VIE !

9-21

LE DOCTEUR EST LÀ ?

NON, JE CROIS QU'ELLE EST COMPLÈTEMENT AILLEURS !

PEANUTS

ASSISTANCE PSYCHIATRIQUE 5¢

JE SUIS LÀ PARCE QUE J'AI BESOIN D'UNE AIDE PROFESSIONNELLE...

LE DOCTEUR EST LÀ

JE DÉPRIME PARCE QUE J'AI CONSCIENCE QUE LES AUTRES FILLES ME HAÏSSENT... POURTANT, JE SAIS QUE C'EST PURE JALOUSIE !

LE DOCTEUR

ELLES ME HAÏSSENT PARCE QUE JE FRISE NATURELLEMENT... ELLES M'ENVIENT... QUE FAIRE ?

LE DOCTEUR EST LÀ

9-22

TE RACONTE PAS D'HISTOIRES, FRANGINE... ÇA FERA CINQ CENTS.

LE DOCTEUR EST LÀ

SCHULZ

PEANUTS TA SŒUR A BESOIN D'AIDE, JE CROIS, CHARLIE BROWN...

SA CRAINTE D'ENTRER EN MATERNELLE SURPASSE DE LOIN CELLE QU'ÉPROUVENT NORMALEMENT LES ENFANTS NON SCOLARISÉS. JE CROIS VRAIMENT QU'IL LUI FAUT L'AIDE D'UNE PROFESSIONNELLE...

8-30

TU AS PEUT-ÊTRE RAISON...

ASSISTANCE PSYCHIATRIQUE 5¢

LE DOCTEUR EST LÀ

SCHULZ

PEANUTS MON PROBLÈME C'EST QUE J'AI PEUR DE LA MATERNELLE.

ASSISTANCE PSYCHIATRIQUE 5¢

LE DOCTEUR EST LÀ

JE NE SAIS MÊME PAS POURQUOI! J'ESSAIE DE ME RAISONNER MAIS JE NE PEUX PAS... J'AI PEUR, C'EST TOUT!

J'Y PENSE TOUT LE TEMPS. J'AI VRAIMENT PEUR.

LE DOCTEUR EST LÀ

8-31

TU ES COMME TOUT LE MONDE. ÇA FERA CINQ CENTS.

LE DOCTEUR EST LÀ

SCHULZ

24

JE SUIS TRÈS DÉPRIMÉ...

BONJOUR, MONSIEUR! INSTALLEZ-VOUS...

MERCI... JE CRAIGNAIS QU'UN RENDEZ-VOUS FÛT NÉCESSAIRE...

LE DOCTEUR EST **LÀ**

ASSISTANCE PSYCHIATRIQUE 5¢

LE DOCTEUR EST **LÀ**

9-22

QUE FAIRE QUAND ON NE SE SENT PAS EN FORME ?

QUE FAIRE QUAND LA VIE SEMBLE VOUS REJETER ?

LE DOCTEUR

SUIS-MOI... JE VEUX TE MONTRER QUELQUE CHOSE.

TU VOIS L'HORIZON, LÀ-BAS ? TU VOIS COMME LE MONDE EST VASTE ? TU VOIS TOUT CET ESPACE DISPONIBLE ?

Im. Rug. U. S. Pat. Off.—All rights reserved
Copr. 1963 by United Feature Syndicate, Inc.

AS-TU DÉJÀ VU D'AUTRES MONDES ?

NON

AUTANT QUE TU PUISSES LE SAVOIR IL N'EXISTE PAS D'AUTRES MONDES... EXACT ?

EXACT !

TU N'AS QUE CE MONDE POUR VIVRE... EXACT ?

EXACT !

TU ES NÉ POUR VIVRE DANS CE MONDE... C'EST JUSTE ?

C'EST JUSTE

EH BIEN, ALORS, VIS !

ÇA FERA CINQ CENTS.

SCHULZ

25

26

VÉRITÉ

QU'EST-CE QUE C'EST?

UN DEVOIR POUR L'ÉCOLE... ON DOIT DESSINER QUELQU'UN DE NOTRE FAMILLE...

JE CONSTATE QUE TU N'AS PAS ENCORE DESSINÉ SA BOUCHE...

AH, OUI... CE N'EST PAS TRÈS URGENT... ON DOIT PAS LE FINIR POUR AUJOURD'HUI... EN FAIT, JE COMPTAIS M'ARRÊTER...

METS-LUI UNE BOUCHE... JE VEUX VOIR...

NON, JE CROIS QUE JE VAIS ATTENDRE... IL NE FAUT PAS TROP SE PRÉCIPITER AVEC UNE ŒUVRE D'ART... D'AILLEURS, CE N'EST PAS PRESSÉ... JE VAIS ATTENDRE UN PEU...

METS-LUI UNE BOUCHE !

PAF!

PAS FACILE DE BIEN DESSINER AVEC LA MAIN QUI TREMBLE !

27

ASSISTANCE PSYCHIÀTRIQUE 5¢

LE DOCTEUR EST SORTI

JE DÉTESTE ME SENTIR DANS CET ÉTAT...

ASSISTANCE PSYCHIÀTRIQUE 5¢

LE DOCTEUR EST LÀ

JE SUIS VENU TE VOIR PARCE QUE DERNIÈREMENT.

ATTENDS, AVANT DE COMMENCER, JE DOIS TE DEMANDER DE ME PAYER À L'AVANCE... ÇA FERA CINQ CENTS.

LE DOCTEUR

PSYCHIÀTRIQUE 5¢

LE DOCTEUR EST LÀ

KLINK

AH ! QUEL DOUX BRUIT !

COMME JE L'AIME CE CHER TINTEMENT DE L'ARGENT ! LA BELLE MUSIQUE DES ÉCUS SONNANTS ET TRÉBUCHANTS ! CETTE SPLENDIDE, SPLENDIDE RUMEUR !

LE DOCTEUR EST LÀ

5-24

KLINK ! KLINK ! KLINK ! QUEL SON MERVEILLEUX !

KLINK ! KLINK ! KLINK ! PETITES MONNAIES ! LE SON MAGNIFIQUE DES MAGNIFIQUES PETITES MONNAIES SONNANTES !

BIEN... QUEL SERAIT TON PROBLÈME ?

SOUPIR

SCHULZ

28

DIX DOLLARS POUR LA LOCATION DU PROJECTEUR...

ENCORE TRENTE-TROIS DOLLARS POUR LES PLAQUES... ET ÇA FAIT QUARANTE-TROIS DOLLARS...

CENT DOLLARS POUR MES HONORAIRES... ET VOILÀ, EN TOUT TU ME DOIS 143 DOLLARS...

ET J'AI TOUJOURS LES MÊMES DÉFAUTS !

2-5

JE T'AI BIEN RENDU SERVICE ! JE T'AI INDIQUÉ TOUS TES DÉFAUTS !

JE T'AI DÉMONTRÉ QUE LA PSYCHIATRIE EST UNE SCIENCE EXACTE !

UNE SCIENCE EXACTE ? !

OUI, TU ME DOIS EXACTEMENT CENT QUARANTE-TROIS DOLLARS !

2-6

29

PEANUTS

ASSISTANC PSYCHIATRIQU

JE PENSE QUE TU DEVRAIS T'EFFORCER D'AMÉLIORER TON CARACTÈRE, CHARLIE BROWN...

LE DOCTEUR EST LÀ

AVANT CINQ ANS, LE CARACTÈRE D'UN ENFANT EST PRESQUE DÉJÀ FORGÉ...

LE DOCTEU

MAIS J'AI DÉJÀ CINQ ANS ! ET MÊME PLUS !

C'EST EXACT !

3-3

DOMMAGE... MAIS C'EST LA VIE !

LE DOCTEUR EST LÀ

PEANUTS

ASSISTAN PSYCHIATRIQU

... ET PUIS QUAND JE PARLE, J'AI L'IMPRESSION QUE LES GENS NE M'ÉCOUTENT PAS VRAIMENT...

LE DOCTE EST LÀ

COMME SI J'ÉTAIS INCAPABLE DE RETENIR LEUR ATTENTION... DÈS QUE J'OUVRE LA BOUCHE, LEURS PENSÉES DÉRIVENT, ILS FIXENT LE VIDE ET...

ASSI PSYCHIATRIQUE 5¢

... ET... ET...

LE DOCTEUR EST LÀ

ASSISTA PSYCHIATRIQUE 5¢

SOUPIR

LE DOCTEUR EST LÀ

4-15

30

J'ESPÉRAIS BEAUCOUP DE CETTE RÉUNION DE FAMILLE...

QUELLE DÉCEPTION ! ON NE PARLAIT MÊME PAS LA MÊME LANGUE ! NOUS ÉTIONS TOUS DES ÉTRANGERS.

JAMAIS JE N'AURAIS DÛ ENTRER DANS CE JEU. C'ÉTAIT UNE GROSSIÈRE ERREUR... J'AURAIS DÛ M'EN DOUTER...

"ON NE REVIENT PAS EN ARRIÈRE"

5-14

ASSISTANCE PSYCHIATRIQUE

AINSI, TU AS ÉTÉ À UNE RÉUNION DE FAMILLE ET ELLE NE T'A PAS PLU...

LE DOCTEUR EST LÀ

ET ALORS ? TU NE DOIS PAS CULPABILISER ! CE N'EST PAS PARCE QUE TU AS UNE FAMILLE QU'ELLE DOIT TE PLAIRE !

ÇA FERA CINQ CENTS.

LE DOCTEUR EST LÀ

5-15

JE DÉTESTE QU'ON ME PAYE EN NATURE !

LE DOCTEUR EST LÀ

31

32

33

PEANUTS

ASSISTANCE PSYCHIATRIQUE 5¢

TOUT ME SEMBLE DÉSESPÉRÉ...

LE DOCTEUR EST [LÀ]

JE SUIS COMPLÈTEMENT DÉPRIMÉ...

LE DOCTEUR EST [LÀ]

RENTRE CHEZ TOI ET MANGE UNE GROSSE TARTINE DE CONFITURE... ÇA FERA CINQ CENTS.

LE DOCTEUR EST [LÀ]

CERTAINS TRAITEMENTS NE S'APPRENNENT PAS EN FAC DE MÉDECINE.

LE DOCTEUR EST [LÀ]

SCHULZ

PEANUTS

ASSISTANCE PSYCHIATRIQUE 5¢

JE M'INQUIÈTE POUR MON PAPA...

LE DOCTEUR EST [LÀ]

IL S'ASSOIT TOUS LES SOIRS DANS LA CUISINE POUR MANGER DES CÉRÉALES FROIDES ET REGARDER L'ALBUM PHOTOS DE SA PROMOTION...

QUEL ÂGE A-T-IL ?

IL VIENT D'AVOIR QUARANTE ANS, JE CROIS...

LE DOCTEUR EST [LÀ]

RASSURE-TOI... IL EST JUSTE DANS LES TEMPS... ÇA FERA CINQ CENTS.

LE DOCTEUR

SCHULZ

38

QU'EST-CE QUE TU FAIS ?

JE VEUX TE SERRER LA MAIN... PARFOIS, UN MÉDECIN PEUT APPRENDRE BEAUCOUP SUR UN PATIENT UNIQUEMENT EN LUI SERRANT LA MAIN...

11-6

NON !

JE NE PEUX PAS LE CROIRE !

QU'EST-CE QUI SE PASSE ?

C'EST FANTASTIQUE ! JE N'AURAIS JAMAIS CRU QU'ON PUISSE RIEN EN APPRENDRE AUTANT SUR UNE PERSONNE RIEN QU'EN LUI SERRANT LA MAIN !

QU'EST-CE QUI SE PASSE ?

OH, JE NE PEUX PAS TE LE DIRE... C'EST UNE DE CES CHOSES DONT IL NE FAUT JAMAIS PARLER AVEC LE PATIENT ! IL EST PRÉFÉRABLE QUE TU NE LE SACHES PAS ! EN FAIT, JE NE PEUX PAS ENCORE LE CROIRE ! VRAIMENT, JE N'Y ARRIVE PAS...

OUIN !

39

ASSISTANCE PSYCHIATRIQUE

ASSIEDS-TOI S'IL TE PLAÎT

MERCI

LE DOCTEUR EST LÀ

ASSISTANCE PSYCHIATRIQUE 5¢

JE VAIS TE POSER UNE QUESTION ET JE VEUX UNE RÉPONSE FRANCHE...

LE DOCTEUR EST LÀ

11-20

LES MÉDECINS, VOIS-TU, PEUVENT EN APPRENDRE TRÈS LONG SUR UN PATIENT EN LUI POSANT DES QUESTIONS APPAREMMENT TRÈS SIMPLES...

BON, RÉPONDS-MOI SINCÈREMENT... TU PRÉFÈRES LE LEVER OU LE COUCHER DU SOLEIL ?

EUH ! LE COUCHER, JE CROIS...

LE DOCTEUR EST LÀ

J'EN ÉTAIS SÛRE ! C'EST BIEN TON GENRE ! QUELLE DÉCEPTION !

LE DOCTEUR EST LÀ

CEUX QUI PRÉFÈRENT LES COUCHERS DE SOLEIL SONT DE DOUX RÊVEURS ! ILS BAISSENT LES BRAS, ABDIQUENT TRÈS VITE, PRÉFÈRENT LE PASSÉ À L'AVENIR ! J'AURAIS DÛ ME DOUTER QUE TU SERAIS UN CRÉPUSCULAIRE !

Tm. Reg. U. S. Pat. Off.—All rights reserved
©1966 by United Feature Syndicate, Inc.

LES AURORISTES SONT AMBITIEUX ET ENTREPRENANTS ! CE SONT DES GAGNANTS ! RIEN DE TEL QU'UN AURORISTE !

DOCTEUR EST LÀ

DÉSOLÉE, CHARLIE BROWN, MAIS SI TU PRÉFÈRES LES COUCHERS AUX LEVERS DE SOLEIL, JE NE PEUX RIEN POUR TOI... TON CAS EST DÉSESPÉRÉ !

DOCTEUR EST LÀ

EN RÉALITÉ, J'AI TOUJOURS PRÉFÉRÉ LE MIDI !

DOCTEUR EST LÀ

SCHULZ

PEANUTS

ASSISTANCE PSYCHIATRIQUE 5¢

LE DOCTEUR EST LÀ

J'AI DES SOUCIS AVEC MA PETITE SŒUR...

ELLE A RAPPORTÉ UN CRAYON DE L'ÉCOLE, TU VOIS, ET SA MAÎTRESSE A DEMANDÉ : "TU AS EMPORTÉ UN CRAYON CHEZ TOI ?" ET SALLY A RÉPONDU : "NON, J'AI PAS EMPORTÉ DE CRAYON CHEZ MOI." ELLE A MENTI... QUE FAIRE D'UNE PETITE SŒUR MENTEUSE ?

2-21

BONNE QUESTION... MAINTENANT, J'EN AI UNE POUR TOI...

LE DOCTEUR EST LÀ

JE SONGE À REPEINDRE CE STAND... EN BLEU OU EN VERT PÂLE, À TON AVIS ?

LE DOCTEUR EST LÀ

J'EN PEUX PLUS !

PEANUTS

ASSISTANCE PSYCHIATRIQUE 5¢

LE DOCTEUR EST LÀ

TIENS... TU AS REÇU UNE LETTRE...

4-3

MERCI... JE L'ATTENDAIS...

C'EST QUOI ?

LE DOCTEUR EST LÀ

MON CHÈQUE MENSUEL DE LA CIA !

LE DOCTEUR EST LÀ

41

PEANUTS

ASSIST PSYCHIATR

TU AS UN PROBLÈME ? EH BIEN, TU T'ADRESSES AU BON ENDROIT !

LE DOCTEUR EST LÀ

C'EST TRÈS RÉCONFORTANT...

LE DOCTEUR

6-29

OH, C'EST LE BON ENDROIT, SANS AUCUN DOUTE...

LE DOCTEUR EST LÀ

ASSISTANCE PSYCHIATRIQUE 5¢

J'AI BESOIN D'ARGENT !

LE DOCTEUR EST LÀ

SCHULZ

PEANUTS

ASSISTANCE PSYCHIATRIQUE 5¢

J'AURAIS DÛ VENIR TE VOIR CE MATIN DE BONNE HEURE, MAIS...

LE DOCTEUR EST LÀ

TU SOUFFRES DE YATROPHOBIE, PAS VRAI ? C'EST-À-DIRE LA PEUR D'ALLER CHEZ LE MÉDECIN ! JE PARIE QUE TU ES YATROPHOBE !

QUELLE CHOSE ÉPOUVANTABLE ! TU AURAIS DÛ VENIR ICI POUR TE SOIGNER DE TOUS TES COMPLEXES, MAIS TA YATROPHOBIE T'EN A EMPÊCHÉ ! QUELLE CHOSE ÉPOUVANTABLE !

7-7

EN FAIT, C'EST MA MÈRE QUI M'A GARDÉ À LA MAISON POUR RANGER MA CHAMBRE !

LE DOCTEUR EST LÀ

SCHULZ

PEANUTS

ASSISTANCE PSYCHIATRIQUE

HIER J'AI DÛ ALLER CHEZ L'INFIRMIÈRE PARCE QUE J'AVAIS MAL À L'ESTOMAC...

LE DOCTEUR EST LÀ

TU T'INQUIÈTES TROP, CHARLIE BROWN... PAS ÉTONNANT QUE TU AIES MAL À L'ESTOMAC... TU DOIS ARRÊTER AVEC TOUTES CES STUPIDES PRÉOCCUPATIONS !

QUE FAIRE ?

LE DOCTEUR EST LÀ

3-1

ÇA, C'EST TON PROBLÈME ! ÇA FERA CINQ CENTS.

LE DOCTEUR EST LÀ

PEANUTS

5-27

FLAN 5¢

UNE COUPE, S'IL TE PLAÎT...

FLAN 5¢

DÉLICIEUX, CE FLAN

MERCI

FLAN 5¢

EN RÉALITÉ, IL N'ÉTAIT QUE PASSABLE MAIS VA TROUVER UNE COUPE DE FLAN POUR 5 CENTS

ASSISTANCE PSYCHIATRIQUE

OK, QUEL EST TON PROBLÈME ?

LE DOCTEUR EST LÀ

ASSISTANCE PSYCHIATRIQUE 5¢

LE LENDEMAIN !

LE DOCTEUR EST LÀ

7-7

ASSISTANCE PSYCHIATRIQUE 5¢

LE DOCTEUR EST LÀ

JE M'INQUIÈTE TOUJOURS POUR LE LENDEMAIN...

ET LORSQUE LE LENDEMAIN DEVIENT AUJOURD'HUI, JE RECOMMENCE À M'INQUIÉTER...

JE SUPPOSE QUE J'AI PEUR D'AFFRONTER L'AVENIR.

JE CROIS POUVOIR T'AIDER, CHARLIE BROWN...

PSYCHIATRIQUE 5¢

LE DOCTEUR EST LÀ

DONC, LA PREMIÈRE CHOSE À FAIRE, C'EST DE TE RETOURNER...

L'AVENIR EST DE CE CÔTÉ... VOILÀ, C'EST ÇA !

MAINTENANT LA DEUXIÈME CHOSE, C'EST L'ATTITUDE... SI TU VEUX AFFRONTER L'AVENIR, TU DOIS BOMBER LA POITRINE...

VOILÀ, COMME ÇA ! POUSSE TA POITRINE EN AVANT ET AFFRONTE L'AVENIR ! MAINTENANT, LÈVE TON BRAS ET SERRE LE POING... COMME ÇA... EN PRENANT UN AIR DÉCIDÉ...

TU SAIS, JE CROIS COMPRENDRE POURQUOI TU AS PEUR D'AFFRONTER L'AVENIR...

POURQUOI ?

TU ES GROTESQUE !

SCHULZ

45

ASSISTANCE
PSYCHIÁTRIQUE 5¢

LE DOCTEUR
EST LÀ

© 1952 United Feature Syndicate Inc.

J'AI BEAUCOUP RÉFLÉCHI À TON CAS, DERNIÈREMENT...

VOILÀ QUI EST TRÈS RÉCONFORTANT...

LE DOCTEUR
EST LÀ

ASSISTA
PSYCHIATR

SAIS-TU QUEL EST TON PROBLÈME, CHARLIE BROWN ?

LE DOCTE
EST L

C'EST QUE TU N'AS PAS DE PHILOSOPHIE PERSONNELLE...

TU AS BESOIN D'ÉLABORER UNE PHILOSOPHIE QUI TE SOUTIENNE DANS LES MOMENTS DE STRESS... ES-TU EN MESURE DE LE FAIRE ?

ES-TU EN MESURE D'ÉLABORER UNE PHILOSOPHIE PERSONNELLE ? RÉFLÉCHIS, CHARLIE BROWN ! RÉFLÉCHIS BIEN !

LE DOCTEUR
EST LÀ

"LA VIE EST COMME UNE GRENADINE... IL FAUT SAVOIR LA SAVOURER !"

8-11

CHIATRIQUE 5¢

LE DOCTEUR

JAMAIS ENTENDU PHILOSOPHIE PLUS STUPIDE !

LE DOCTEUR
EST LÀ

JE NE PEUX RIEN FAIRE POUR QUELQU'UN QUI A UNE PHILOSOPHIE PAREILLE ! TU ES UN CAS DÉSESPÉRÉ, CHARLIE BROWN !

DIFFICILE D'ÉLABORER UNE VÉRITABLE PHILOSOPHIE PERSONNELLE EN MOINS DE VINGT MINUTES...

SCHULZ

47

48

ASSISTANCE PSYCHIATRIQUE 5¢

J'AI UN PROBLÈME.

LE DOCTEUR EST LÀ

EN FAIT, ÇA CONCERNE SNOOPY... TOUT À COUP, ON DIRAIT QU'IL A PEUR DE DORMIR DEHORS LA NUIT... IL ENTEND SANS CESSE DES BRUITS.

TOI, TU T'OCCUPES DE PSYCHIATRIE ANIMALE ? TU POURRAIS ESSAYER DE LE SOIGNER ?

BIEN SÛR ! JE N'AI PAS DE PRÉJUGÉS.

11-18

JE SOIGNE N'IMPORTE QUEL PATIENT QUI A UN PROBLÈME ET CINQ CENTS !

LE DOCTEUR EST LÀ

ASSISTANCE PSYCHIATRIQUE 5¢

ASSIEDS-TOI, S'IL TE PLAÎT...

LE DOCTEUR EST LÀ

11-19

CHARLIE BROWN ME DIT QUE TU AS UN PROBLÈME... IL PARAÎT QUE TU AURAIS DÉVELOPPÉ CETTE PEUR DU NOIR, OU QUELQUE CHOSE COMME ÇA... C'EST VRAI ?

ASSISTANCE PSYCHIATRIQUE 5¢

LE DOCTEUR EST LÀ

J'AI L'IMPRESSION D'INTERROGER UN OURS EN PELUCHE.

LE DOCTEUR EST LÀ

49

50

PEANUTS

ASSISTANCE PSYCHIATRIQUE

AUJOURD'HUI, NOUS PARLERONS UN PEU DE TON MILIEU.

LE DOCTEUR EST LÀ

ÉTAIS-TU HEUREUX DANS TA FAMILLE ? AIMAIS-TU TA MÈRE ET TON PÈRE ?

LE DOCTEUR

QUELS ÉTAIENT TES SENTIMENTS ENVERS LES AUTRES, PASSE-MOI L'EXPRESSION, "CHIENS" DE TA FAMILLE ?

LE DOCTEUR EST LÀ

ASSISTANCE PSYCHIATRIQUE 5¢

PAS QUESTION DE "PASSER L'EXPRESSION" !

LE DOCTEUR EST LÀ

PEANUTS

ASSISTANC PSYCHIATRIQU

ICI, DONNE-MOI LA MAIN OU LA PATTE – COMME TU VOUDRAS !

LE DOCTEUR EST LÀ

À PRÉSENT, JE VEUX QUE TU TE DÉTENDES ET QUE TU PENSES À QUELQUE CHOSE.

LE DOCTEU

DIS-TOI : JE SUIS AIMÉ... JE SUIS DÉSIRÉ, JE SUIS IMPORTANT... "

LE DOCTEUR EST LÀ

YCHIATRIQUE 5¢

JE ROUGIS !

LE DOCTEU EST LÀ

51

PEANUTS

C'EST POUR TOI... ON DIRAIT UNE FACTURE...

"HONORAIRES... ASSISTANCE PSYCHIATRIQUE... QUATRE SÉANCES... VINGT CENTS... PAS DE RÉDUCTION... DR LUCY VAN PELT..."

OÙ DIABLE VAIS-JE ALLER CHERCHER CES VINGT CENTS ?

JE REFUSE DE VENDRE MON DUBUFFET !

11-25

SCHULZ

PEANUTS

C'EST QUOI ? J'AI ENTENDU UN BRUIT !

JE CROYAIS QUE LE PSYCHIATRE M'AVAIT GUÉRI... MAIS J'ENTENDS À NOUVEAU DES BRUITS DANS LA NUIT.

11-26

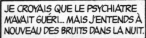

QU'EST-CE QUE ÇA PEUT ÊTRE ?

ET MES VINGT CENTS ?

SCHULZ

52

PEANUTS

QUAND VAS-TU PAYER TA NOTE DU MÉDECIN ?

STUPIDE PETIT BEAGLE, JE T'AI GUÉRI ET À PRÉSENT JE VEUX ÊTRE PAYÉE !

11-27

JE NE PEUX PAS EXERCER GRATIS !

CROIS-TU QUE NOUS TRAVAILLONS POUR VOS BEAUX YEUX, NOUS AUTRES PSYCHIATRES ?

PEANUTS

JE CONNAIS TA RACE.

TU CROIS T'EN SORTIR SANS PAYER TA NOTE DU MÉDECIN ?

11-28

EH BIEN, TU SAIS CE QUE JE VAIS FAIRE ?

JE SÉQUESTRE TA GAMELLE !

OUIN !

56

PEANUTS — ASSISTANCE PSYCHIATRIQUE 5¢ — UN OISEAU DÉPRIMÉ ? — LE DOCTEUR EST LÀ

QU'EST-CE QUI PEUT BIEN TE DÉPRIMER ? TU N'ES PAS DIFFÉRENT DES AUTRES OISEAUX... CESSE DE T'APITOYER SUR TOI-MÊME...

!

5-23

LE CIEL EST VASTE... NE L'OUBLIE PAS !

LE DOCTEUR EST LÀ

ZUT ! VOICI CE DONT LES PSY-CHIATRES DOIVENT SE MÉFIER... JE L'AI GUÉRI SI VITE QU'IL S'EST ENVOLÉ SANS PAYER...

LE DOCTEUR EST LÀ

PEANUTS — ASSISTANCE PSYCHIATRIQUE 5¢ — JE NE SAIS PAS QUOI FAIRE... — LE DOCTEUR EST LÀ

5-30

JE ME SENS PARFOIS SI SEUL... C'EST INSUPPORTABLE...

D'AUTRES FOIS, J'ASPIRE À UNE SOLITUDE ABSOLUE...

LE DOCTEUR EST LÀ

ESSAIE LE JUSTE MILIEU ! ÇA FERA CINQ CENTS.

LE DOCTEUR EST LÀ

PEANUTS

ASSISTANCE PSYCHIATRIQUE 5¢

QUE FAIRE QUAND ON SE SENT TOUT LE TEMPS SEUL ?

LE DOCTEUR EST LÀ

6-30

JE SUIS TOMBÉE EN PATIN À ROULETTES CE MATIN, JE ME SUIS ÉCORCHÉ LES DEUX GENOUX ET JE PEUX À PEINE MARCHER !

LE DOCTEUR EST LÀ

ÉPARGNE-MOI TES PROBLÈMES RIDICULES !

LE DOCTEUR EST LÀ

SÛREMENT UN EXCELLENT MÉDECIN... JE NE ME SENS DÉJÀ PLUS AUSSI SEUL...

PEANUTS

ASSISTANCE PSYCHIATRIQUE 5¢

QUE FAIRE POUR UNE PERSONNE EN ÉTAT DE CHOC, SUITE À UNE "LETTRE DE REFUS" DE SON ÉDITEUR ?

LE DOCTEUR EST LÀ

DIS-LUI QUE CE QU'IL A ÉCRIT N'EST PAS PIRE QU'UN TAS DE CHOSES QU'ON PUBLIE DE NOS JOURS !

CE QUE TU AS ÉCRIT, SNOOPY, N'EST PAS PIRE QU'UN TAS DE CHOSES QU'ON PUBLIE DE NOS JOURS...

9-13

ASSISTANCE PSYCHIATRIQUE 5¢

ÇA FERA CINQ CENTS.

OÙ SUIS-JE ? QUE S'EST-IL PASSÉ ?

LE DOCTEUR EST LÀ

PEANUTS

TU SAIS CE QUE C'EST L'AMOUR ?

AMOUR, N. M. SENTIMENT D'AFFECTION VIVE, TRANSPORT DE L'ÂME VERS UNE PERSONNE OU UN OBJET, PROFONDE TENDRESSE, DÉVOTION.

11-4

SUR LE PAPIER, IL EST TRÈS FORT...

PEANUTS

ASSISTANCE PSYCHIATRIQUE 5¢

LE DOCTEUR EST [A]

SAIS-TU GUÉRIR LA MÉLANCOLIE ?

POUR CINQ CENTS JE SAIS TOUT GUÉRIR !

LE DOCTEUR

TU SAIS GUÉRIR LA MÉLANCOLIE LA PLUS PROFONDE, LA PLUS NOIRE, LA PLUS DÉCHIRANTE, LA PLUS DÉSESPÉRÉE, LA PLUS TOTALE, LA PLUS ABSOLUE ?

11-13

TOUT ÇA POUR CINQ CENTS ?!

LE DOCTEUR

PEANUTS

TU VEUX DIRE, QUE TU AS COMPTÉ TOUS LES FLOCONS DE NEIGE QUI SONT TOMBÉS AUJOURD'HUI ?

JE TE L'AI DÉJÀ DIT, NON ?

QUEL EST TON TOTAL ?

VOYONS VOIR... JE L'AI NOTÉ SUR UN PETIT BOUT DE PAPIER... VOILÀ...

12-11

TREIZE MILLIARDS QUATRE MILLE TROIS...

VRAIMENT ?

J'ARRIVE EXACTEMENT AU MÊME RÉSULTAT !

SCHULZ

PEANUTS

ASSISTANT PSYCHIATRIQUE

TU AS PAYÉ NEUF DOLLARS POUR ÊTRE ASSIS À CÔTÉ DE TON IDOLE À UN BANQUET DE SPORTIFS, ET IL NE S'EST PAS MONTRÉ ?

LE DOCTEUR EST LÀ

CE N'EST PAS TOUT. LA SEMAINE DERNIÈRE, JE SUIS ALLÉ SKIER ET JE SUIS TOMBÉ DU TÉLÉSIÈGE !

1-3

JE SUIS VENU QUÊTER QUELQUES PAROLES D'ENCOURAGEMENT !

LE DOCTEUR EST LÀ

BONNE ET HEUREUSE ANNÉE... ÇA FERA CINQ CENTS.

LE DOCTEUR EST LÀ

SCHULZ

PEANUTS

DIS-MOI QUE TU M'AIMES, DONNE-MOI UN BAISER ET EMBRASSE-MOI TRÈS FORT !

ATTENTION TOUT LE MONDE ! JE SERAI HARGNEUSE POUR LE RESTANT DE LA JOURNÉE !

1-20

SCHULZ

PEANUTS

J'AI PRIS UNE DÉCISION...

CETTE ANNÉE, POUR LA SAINT VALENTIN, NE M'OFFRE PAS DE CHOSES FUTILES, STYLE GÂTEAUX OU FLEURS... JE ME CONTENTERAI D'UN BAISER SUR LE NEZ ET D'UNE ÉTREINTE.

OU DE BIEN MOINS ENCORE !

1-22

SCHULZ

PEANUTS

ASSISTANCE PSYCHIATRIQUE 5¢

LE DOCTEUR EST LÀ

TU CROIS QU'UN JOUR JE SERAI UNE PERSONNE MÛRE ET RESPONSABLE ?

POUR UNE TELLE QUESTION, JE VEUX ÊTRE PAYÉE D'AVANCE.

LE DOCTEUR

5-26

D'AVANCE ? POURQUOI ?

LE DOCTEUR EST LÀ

PARCE QU'À MON AVIS TU NE VAS PAS AIMER LA RÉPONSE !

LE DOCTEUR

PEANUTS

ASSISTANCE PSYCHIATRIQUE 5¢

LE DOCTEUR EST LÀ

TU ES BEAUCOUP TROP MOU...

TON PROBLÈME, CHARLIE BROWN, C'EST QUE TU NE SAIS PAS AFFRONTER LA VIE.

TU DOIS SAISIR LA VIE À BRAS-LE-CORPS, LA SECOUER, LUI SORTIR LES TRIPES, LA COGNER...

ET SI JE ME CONTENTAIS DE HURLER...

7-29

LE DOCTEUR EST LÀ

65

PEANUTS

ASSISTANCE PSYCHIATRIQUE 5¢

JE VEUX JUSTE MENER UNE VIE NORMALE.

LE DOCTEUR EST LÀ

YCHIATRIQU

TOI ?!

LE DOCTEUR EST LÀ

8-20

YCHIATRIQU

ÇA FERA CINQ CENTS.

LE DOCTEUR EST LÀ

8-21

CES SÉANCES BRÈVES SONT D'UN BON RAPPORT !

LE DOCTEUR EST LÀ

PEANUTS

ASSISTANCE PSYCHIATRIQUE

QUEL MAL Y A-T-IL À ASPIRER À UNE VIE NORMALE ?

LE DOCTEUR EST LÀ

8-21

AUCUN, CHARLIE BROWN, ABSOLUMENT AUCUN...

LE DOCTEUR EST LÀ

SI C'EST CE QUE TU VEUX, EH BIEN... AUCUN, DIRAIS-JE... VRAIMENT AUCUN... AUCUN... ABSOLUMENT AUCUN... AUCUN... AUCUN...

J'AI L'IMPRESSION QUE QUELQUE CHOSE CLOCHE...

LE DOCTEUR EST LÀ

PEANUTS

POURQUOI ES-TU TOUJOURS AUSSI HARGNEUSE ?

TU VOUDRAIS PEUT-ÊTRE AVOIR UNE PETITE SŒUR D'UNE DOUCEUR ÉCŒURANTE, TOUTE CARESSANTE...

PAF!

J'Y SURVIVRAI.

9-1

PEANUTS

ASSISTANCE PSYCHIATRIQUE 5¢

LE DOCTEUR EST LÀ

DOMMAGE QUE TU NE SOIS PAS CAPABLE DE TE REMETTRE EN QUESTION, CHARLIE BROWN...

LES GENS QUI EN SONT CAPABLES S'AFFRANCHISSENT DES PEURS ET DES INHIBITIONS... ILS S'ACCEPTENT ET ACCEPTENT LES AUTRES... ILS SONT CONFIANTS ET SÛRS D'EUX...

PUIS-JE DEVENIR CE GENRE DE PERSONNE ?

LE DOCTEUR EST LÀ

10-20

C'EST EXCLU ! ÇA FERA CINQ CENTS.

SOUPIR

LE DOCTEUR EST LÀ

67

MAIS C'EST MA VIE ET J'EN FAIS CE QUE JE VEUX !

11-27

JE M'APPARTIENS !

MA VIE EST À MOI ET C'EST MOI QUI DOIS LA VIVRE !!

AVEC UN PETIT PEU D'AIDE...

ASSISTANCE PSYCHIÁTRIQUE 5¢

LE DOCTEUR EST LÀ

LA VIE EST DURE.

ET J'AI L'ATROCE PRESSENTIMENT QU'ELLE NE VA PAS S'ADOUCIR EN GRANDISSANT.

12-28

COMMENT FAIRE POUR ME PROTÉGER ?

LE DOCTEUR EST LÀ

ESSAIE DE METTRE UN CASQUE... ÇA FERA CINQ CENTS.

LE DOCTEUR EST LÀ

68

PEANUTS

ASSISTANCE PSYCHIATRIQUE 7¢

LE DOCTEUR EST LÀ

COMMENT CORRIGER QUELQUES-UNS DE MES DÉFAUTS ?

SAIS-TU D'OÙ VIENNENT CES DÉFAUTS, CHARLIE BROWN ? DE TES FAIBLESSES ! CE SONT TOUTES CES FAIBLESSES QUI ENGENDRENT TES DÉFAUTS !

EH BIEN, COMMENT PUIS-JE CORRIGER MES FAIBLESSES ?

LE DOCTEUR

TU DOIS COMBLER TOUTES CES LACUNES ! CE SONT LES LACUNES QUI TE NUISENT ! CE SONT...

PEANUTS

ASSISTANCE PSYCHIATRIQUE

LE DOCTEUR EST LÀ

LA VIE EST COMME UN JEU, CHARLIE BROWN...

PARFOIS ON GAGNE...

LE DOCTEUR

PARFOIS ON PERD

LE DOCTEUR

JE ME CONTENTERAI DE FAIRE MATCH NUL.

LE DOCTEUR EST LÀ

PEANUTS

ASSISTANCE
PSYCHIATRIQUE 5¢

LE DOCTEUR
EST LÀ

DES ENTRETIENS COMME CEUX-CI SONT PRESQUE TOUJOURS PROFITABLES CHARLIE BROWN

IL N'EST JAMAIS MAUVAIS D'ÉCHANGER SES EXPÉRIENCES AVEC AUTRUI !

J'ADMETS AVOIR MOI-MÊME APPRIS QUELQUES PETITES CHOSES

ÇA FERA CINQ CENTS.

LE DOCTEUR
EST LÀ

PEANUTS

TU PENSES QUE SI DEUX PERSONNES AIMENT LA MÊME CHOSE, CELA PEUT LES RAPPROCHER ?

BIEN SÛR... PRENDS LA MUSIQUE CLASSIQUE, PAR EXEMPLE... DEUX PERSONNES QUI PARTAGERAIENT LA MÊME PASSION POUR BEETHOVEN POURRAIENT DEVENIR TRÈS INTIMES.

1-25

ET LA TÉLÉ ?

PEANUTS

ASSISTANCE PSYCHIATRIQUE 5¢

IL M'ARRIVE DE ME POSER DES QUESTIONS.

LE DOCTEUR EST LÀ

DE ME DEMANDER : " EST-CE BIEN TA VIE, OU LE PILOTE D'UN TÉLÉFILM ? "

LE DOCTEUR EST LÀ

MA VIE EST-ELLE UN SITCOM DE SECONDE ZONE OU UNE SOIRÉE DE GALA... ?

2-19

QUELLE QU'ELLE SOIT, TON AUDIMAT EST EN CHUTE LIBRE... ÇA FERA CINQ CENTS.

LE DOCTEUR EST LÀ

PEANUTS

ASSISTANCE PSYCHIATRIQUE 5¢

JE ME SENS ÉTRANGEMENT SÛR DE MOI, AUJOURD'HUI !

LE DOCTEUR EST LÀ

3-5

POUR LA PREMIÈRE FOIS DEPUIS DES MOIS, JE VOIS BRILLER UNE LUEUR D'ESPOIR...

QU'EN PENSES-TU, LUCY ?

LE DOCTEUR EST LÀ

TON TAUX DE GLUCOSE A DÛ GRIMPER... ÇA FERA CINQ CENTS.

LE DOCTEUR EST LÀ

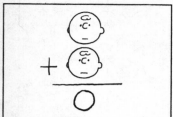

ASSISTANCE PSYCHIATRIQUE 5¢

LE DOCTEUR EST LÀ

JE N'AI PAS PU EN PLACER UNE...

ASSISTANCE YCHIATRIQUE 5¢

LE DOCTEUR EST LÀ

J'AI TOUJOURS SOUHAITÉ ALLER VOIR LA PETITE FILLE AUX CHEVEUX ROUX ET LUI PARLER, MAIS JE N'AI PAS PU...

JE N'AI PAS PU ENGAGER LA CONVERSATION PARCE QUE JE N'ÉTAIS PERSONNE ET QU'ELLE ÉTAIT QUELQU'UN.

SI ELLE AVAIT VOULU PARLER AVEC MOI, C'EÛT ÉTÉ PLUS FACILE, PARCE QUE QUELQU'UN QUI EST VRAIMENT QUELQU'UN PEUT TROUVER QUELQU'UN QUI N'EST PERSONNE ET LUI PARLER !

JE CROIS QUE TU AS UN PROBLÈME D'ARITHMÉTIQUE, CHARLIE BROWN.

ARITHMÉTIQUE ?

LE DOCTEUR EST LÀ

SI TU ADDITIONNES PERSONNE ET QUELQU'UN, QU'EST-CE QUE ÇA DONNE ?

JE DIRAIS QUELQU'UN !

EXACT... À PRÉSENT, SI TU SOUSTRAIS PERSONNE DE QUELQU'UN, QU'EST-CE QUE TU OBTIENS ?

QUELQU'UN

LE DOCTEUR EST LÀ

TRÈS BIEN... À PRÉSENT, SI TU MULTIPLIES QUELQU'UN PAR PERSONNE, QU'EST-CE QUE TU OBTIENS ?

PERSONNE

LE DOCTEUR EST LÀ

ÇA FERA CINQ CENTS.

QUAND ON EST PERSONNE, C'EST TERRIBLEMENT DIFFICILE DE COMPRENDRE QUELQU'UN !

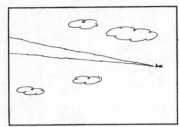

ASSISTANCE PSYCHIATRIQUE 5¢

LE DOCTEUR EST LÀ

JE ME DEMANDE S'IL EST VRAIMENT POSSIBLE DE PRENDRE UN NOUVEAU DÉPART..

ASSISTANCE PSYCHIATRIQUE 5¢

LE DOCTEUR EST LÀ

REGARDE CET AVION LÀ-HAUT !

IL EST REMPLI DE GENS QUI VONT TOUS QUELQUE PART. VOILÀ CE QUE J'AIMERAIS... PARTIR AILLEURS ET RECOMMENCER À ZÉRO.

OUBLIE ÇA, CHARLIE BROWN, QUAND TU SORTIRAS DE L'AVION, TU SERAS TOUJOURS LE MÊME.

DOCTEUR

11-14

MAIS UNE FOIS LÀ-BAS, PEUT-ÊTRE QUE LES GENS M'APPRÉCIERAIENT DAVANTAGE.

JUSQU'À CE QU'ILS APPRENNENT À TE CONNAÎTRE, CHARLIE BROWN... ET TU TE RETROUVERAIS À LA CASE DÉPART.

ET S'ILS ÉTAIENT PLUS COMPRÉHENSIFS.

LES GENS SONT CE QU'ILS SONT, CHARLIE BROWN.

LE DOCTEUR EST LÀ

MAIS PEUT-ÊTRE QUE JE

LAISSE TOMBER, CHARLIE BROWN.

MAIS...

LE DOCTEUR EST LÀ

NAN !

EUH

LE DOCTEUR EST LÀ

ÇA FERA CINQ CENTS.

SOUPIR

LE DOCTEUR EST LÀ

UNE FOIS LE CLIENT ACCROCHÉ, LARGUEZ-LE !

LE DOCTEUR EST LÀ

Schulz

74

75

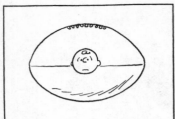

♫ CHARLIE BROWNNNNN ♫

JE TIENS LE BALLON, CHARLIE BROWN. TU ARRIVES EN COURANT ET TU SHOOTES.

JE NE PEUX PAS

JE N'AI JAMAIS RIEN FAIT SANS CONSULTER MON PSYCHIATRE.

D'ACCORD VA DISCUTER AVEC TON PSY, ET VOIS CE QUE TU PEUX FAIRE...D'ACCORD ?

ASSISTANCE PSYCHIATRIQUE 5¢

LE DOCTEUR EST LÀ

J'AI UN CURIEUX PROBLÈME.

C'EST CETTE FILLE, TU VOIS, ELLE VEUT TOUJOURS ME FAIRE SHOOTER DANS UN BALLON, MAIS AU DERNIER MOMENT ELLE LE RETIRE, ALORS JE TOMBE SUR LE DOS ET JE ME TUE.

ÇA A L'AIR D'ÊTRE UNE FILLE INTÉRESSANTE... DRÔLE DE SPÉCIMEN.

J'AI L'IMPRESSION, QUE TU AS UN RÉEL BESOIN DE DONNER UN COUP DE PIED DANS UN BALLON. TU DEVRAIS ESSAYER !

JE CROIS QUE TU DEVRAIS ESSAYER PARCE QUE, EN TERMES MÉDICAUX, TU AS CE QUE L'ON APPELLE "UN BESOIN D'ESSAYER".

10-8

JE SUIS CONTENT D'AVOIR PARLÉ AVEC MON PSY CAR CETTE ANNÉE JE VAIS ENVOYER CE BALLON JUSQU'À LA LUNE !

HOOU !

WHAA

PAS DE CHANCE, CHARLIE BROWN. TON MALHEUREUX PSY NE CONNAISSAIT PAS GRAND-CHOSE AU FOOTBALL.

76

PEANUTS

ASSISTANCE PSYCHIATRIQUE 5¢

LE DOCTEUR EST LÀ

ON DIRAIT QUE LES ENNUIS ME POURSUIVENT PARTOUT !

ON DIRAIT QUE JE N'ARRIVE PAS À LES ÉVITER.

LE DOCTEUR EST LÀ

ON DIRAIT QUE LES ENNUIS PARVIENNENT TOUJOURS À ME RETROUVER.

TU DEVRAIS FAIRE RADIER TON NOM DE L'ANNUAIRE DE LA VIE !

LE DOCTEUR EST LÀ

PEANUTS

ASSISTANCE PSYCHIATRIQUE 5¢

LE DOCTEUR EST LÀ

J'AI ESSAYÉ DE ME BONIFIER...

J'AI VRAIMENT ESSAYÉ DE TOUTES MES FORCES...

TU SAIS, TOI, À QUEL POINT J'AI ESSAYÉ ! DIS-LE-MOI...

LE DOCTEUR EST LÀ

BEL EFFORT... ÇA FERA CINQ CENTS.

LE DOCTEUR

PEANUTS

ASSISTANCE PSYCHIATRIQUE 5¢

LE DOCTEUR EST LÀ

J'AI DONC ACHETÉ À LINUS UNE NOUVELLE COUVERTURE... JE CROYAIS BIEN FAIRE...

HMMM... JE NE SAIS PAS TROP COMMENT LE FORMULER, CHARLIE BROWN, MAIS LAISSE-MOI TE DIRE UNE CHOSE...

LES PIRES DÉGÂTS INFLIGÉS À L'HUMANITÉ DEPUIS LE DÉBUT DE SON HISTOIRE ONT ÉTÉ COMMIS PAR DES GENS QUI " CROYAIENT BIEN FAIRE ".

ÇA FERA CINQ CENTS.

SOUPIR

LE DOCTEUR EST LÀ

PEANUTS

ASSISTANCE PSYCHIATRIQUE 7¢

LE DOCTEUR EST LÀ

JE SAIS QUE J'AI BESOIN D'AIDE... JE NE LE NIE PAS.

...MAIS D'UNE CERTAINE FAÇON JE SENS QUE JE NE DÉSIRE PAS SUBIR TOUT LE TRAITEMENT PSYCHIATRIQUE... COMPRENDS-TU CE QUE JE VEUX DIRE ?

PARFAITEMENT. VIENS PAR ICI, JE T'EN PRIE...

EXCELLENTS ET AUTHENTIQUES CONSEILS MATERNELS

LA MAMAN EST LÀ

BENÊT !

ASSISTANCE PSYCHIATRIQUE 7¢

LE DOCTEUR EST **LÀ**

LES RÊVES ONT UNE GRANDE UTILITÉ...

ASSISTANCE PSYCHIATRIQUE 7¢

LE DOCTEUR EST **LÀ**

LES RÊVES DE LA NUIT TE PRÉPARENT AU LENDEMAIN.

PSYCHIAT

LE DOCTEUR EST **LÀ**

QU'EST-CE QUE ÇA VEUT DIRE ?

12-10

QUE PENDANT LA NUIT, LORSQUE TU ES ENDORMI, TON CERVEAU TRAVAILLE VRAIMENT, CHARLIE BROWN...

LE DOCTEUR EST **LÀ**

TON CERVEAU S'EFFORCE DE SÉRIER TES PENSÉES POUR TOI.

LE DOCTEUR EST **LÀ**

IL ESSAIE DE TE MONTRER TEL QUE TU ES VRAIMENT.

LE DOCTEUR

ASSISTANCE PSYCHIATRIQUE 7¢

LE DOCTEUR EST **LÀ**

MÊME MON CERVEAU EST CONTRE MOI !

SCHULZ

79

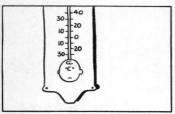

SALUT, LUCY... JE ME DEMANDAIS SI TU COMPTAIS TE PRÉSENTER À TON STAND AUJOURD'HUI.

TU VEUX RIRE ? ON GÈLE !

ALORS... QU'EST-CE QUE JE VAIS FAIRE ?

VA TROUVER MON ASSISTANT.

TON ASSISTANT ?

IL SE MOQUE DU FROID !

CLAC !

VOILÀ, JE ME SENTAIS UN PEU DÉPRIMÉ ET...

ASSISTANCE PSYCHIATRIQUE 7¢

LE DOCTEUR EST LÀ

SCHULZ

SOUPIR

ASSISTANCE PSYCHIATRIQUE 10¢

LE DOCTEUR EST LÀ

JE NE ME SUIS JAMAIS SENTI AUSSI BAS.

IL ME SEMBLE QUE RIEN NE ME CONVIENT... QUE JE N'AI MA PLACE NULLE PART. TOUT CE QUE J'ENTREPRENDS EST UN DÉSASTRE.

ÉCOUTE, ESSAIE DE VOIR LES CHOSES SOUS CET ANGLE. LES GENS SONT COMME LES CARTES D'UN JEU... CERTAINS SONT DES AS, D'AUTRES DES DIX, DES NEUF OU DES DEUX...

NOUS NE POUVONS PAS ÊTRE TOUS DES FIGURES ? NOUS NE POUVONS PAS TOUS ÊTRE DES ROIS OU DES REINES.

SANS DOUTE PAS.

9-19

ASSISTANCE PSYCHIATRIQUE 10¢

LE DOCTEUR EST LÀ

TU ES PEUT-ÊTRE UN DEUX DE TRÈFLE, CHARLIE BROWN.

J'EN DOUTE...

ASSISTANCE PSYCHIATRIQUE 10¢

LE DOCTEUR

MÊME UN DEUX DE TRÈFLE PEUT RAMASSER UN PLI PAR-CI, PAR-LÀ !

SCHULZ

83

BESOIN D'AIDE PSYCHIATRIQUE? VOTRE DERNIÈRE CHANCE.

ASSISTANCE PSYCHIATRIQUE 5¢

LE DOCTEUR EST LÀ

PARFOIS, JE CROIS QUE JE NE SAIS RIEN DE LA VIE.

PSYCHIATRIQUE 5¢

LE DOCTEUR EST LÀ

J'AI BESOIN D'AIDE

DIS-MOI UNE GRANDE VÉRITÉ ! DIS-MOI QUELQUE CHOSE SUR LA VIE QUI PUISSE M'AIDER.

© 1977 United Feature Syndicate, Inc.

IL T'ARRIVE DE TE RÉVEILLER EN PLEINE NUIT ET D'AVOIR SOIF ?

BIEN SÛR, TRÈS SOUVENT.

11-27

QUAND TU TE SERS UN VERRE D'EAU DANS LE NOIR, RINCE BIEN TON VERRE, AU CAS OÙ UN INSECTE SERAIT TOMBÉ DEDANS. ÇA FERA CINQ CENTS.

LES GRANDES VÉRITÉS SONT BEAUCOUP PLUS SIMPLES QUE JE NE LE PENSAIS.

SCHULZ

CE QUE TU FAIS DE TON TEMPS EST TRÈS SIGNIFICATIF...

ASSISTANCE PSYCHIATRIQUE 25¢

LE DOCTEUR EST LÀ

LES ACTIVITÉS D'UNE PERSONNE EN DISENT LONG SUR ELLE, CHARLIE BROWN.

QU'AS-TU DONC FAIT JUSQU'ICI, AUJOURD'HUI ?

EH BIEN, J'AI CONSACRÉ UNE BONNE PARTIE DE LA MATINÉE À NETTOYER LE DESSUS DE MA COMMODE...

CALAMITÉ !! LES GENS, PARTOUT DANS LE MONDE LABOURENT LES CHAMPS, COUPENT DU BOIS, CREUSENT DES PUITS, PLANTENT DES ARBRES, CONSTRUISENT DES MURS, ET TU N'AS NETTOYÉ QUE LE DESSUS DE TA COMMODE ???

PAS ÉTONNANT QUE TU N'AIES AUCUNE CONSCIENCE DE TA PROPRE VALEUR !

© 1979 United Feature Syndicate, Inc.

HÉ, TOI, LÀ-BAS ! QU'AS-TU FAIT AUJOURD'HUI ?

REGARDÉ LA TÉLÉ, POURQUOI ?

LE DESSUS DE MA COMMODE EST TOUT PROPRE !

LE DOCTEUR EST LÀ

1-29

86

PEANUTS

ASSISTANCE SYCHIATRIQUE 10¢

RIEN NE VA JAMAIS POUR MOI...

LE DOCTEUR EST [LÀ]

J'Y AI RÉFLÉCHI, CHARLIE BROWN...

12-13

TU ES PEUT-ÊTRE TON PIRE ENNEMI.

LE DOCTEUR EST [LÀ]

DANS CE CAS, JE DEVRAIS DÉSERTER !

LE DOCTEUR EST [LÀ]

PEANUTS

TU SERAIS ENCHANTÉ DE GAGNER UN MATCH DE BASE-BALL, HEIN, CHARLIE BROWN ?

LE DOCTEUR EST [LÀ]

EH BIEN, DÉTROMPE-TOI ! SI TU EN GAGNAIS UN, TU SOUHAITERAIS EN GAGNER UN SECOND PUIS UN TROISIÈME...

TU NE TARDERAIS PAS À VOULOIR GAGNER TOUS TES MATCHS...

6-1

OUAIIIIIS !!!

87

PSYCHIATRIQUE 10¢

LE DOCTEUR EST LÀ

JE PEUX PEUT-ÊTRE LE FORMULER AUTREMENT...

ASSISTANCE PSYCHIATRIQUE 10¢

LE DOCTEUR EST LÀ

LA VIE, CHARLIE BROWN, RESSEMBLE À UN TRANSAT...

À UN QUOI ?

TU N'ES JAMAIS PARTI EN CROISIÈRE ? LES GENS DÉPLIENT CES CHAISES DE TOILE POUR S'ASSEOIR AU SOLEIL...

CERTAINS LES TOURNENT VERS LA POUPE POUR VOIR D'OÙ ILS VIENNENT...

LE DOCTEUR EST LÀ

... ET D'AUTRES VERS LA PROUE... POUR VOIR OÙ ILS VONT !

LE DOCTEUR EST LÀ

© 1981 United Feature Syndicate, Inc.

ASSISTANCE PSYCHIATRIQUE

LE DOCTEUR EST LÀ

SUR LE PAQUEBOT DE LA VIE, CHARLIE BROWN, DE QUEL CÔTÉ AS-TU TOURNÉ TON TRANSAT ?

3-15

ASSIST PSYCHIATI

LE DOCTEUR EST LÀ

JE N'AI JAMAIS RÉUSSI À EN DÉPLIER UN...

SCHULZ

89

90

91

PSYCHIATRIQUE 5¢
LE DOCTEUR EST LÀ
JE NE COMPRENDS PAS.

ASSISTANCE PSYCHIATRIQUE 5¢
LE DOCTEUR EST LÀ
BON ! CHARLIE BROWN, NOUS ALLONS PROCÉDER D'UNE AUTRE MANIÈRE.

LA VIE EST COMME UN CADDIE !
UN CADDIE ?

CHACUN DE NOUS A UN CADDIE, ET LE MONDE EST NOTRE SUPERMARCHÉ
7-18

LE MONDE EST REMPLI DE CHOSES MERVEILLEUSES, POUSSE TON CADDIE DANS LES TRAVÉES, CHARLIE BROWN !
LE DOCTEUR

LE CADDIE, C'EST TA VIE. POUSSE-LE, CHARLIE BROWN ! POUSSE-LE JUSQU'À UNE CAISSE.
LAQUELLE ?

PSYCHIATRIQUE 5¢
LE DOCTEUR EST LÀ
J'AI ACHETÉ MOINS DE SIX ARTICLES, JE CROIS !

LES SOUCIS SONT UNE PERTE DE TEMPS !

PSYCHIATRIQUE 5¢

LE DOCTEUR EST LÀ

TU NE PEUX PAS TE FAIRE DU SOUCI POUR LE FUTUR, CHARLIE BROWN...

9-25

TU NE PEUX PAS TE FAIRE DU SOUCI POUR L'AN PROCHAIN, LE MOIS PROCHAIN, LA SEMAINE PROCHAINE, NI MÊME POUR DEMAIN.

LE DOCTEUR EST LÀ

ET TU NE VAS TOUT DE MÊME PAS TE FAIRE DU SOUCI POUR LE PASSÉ... CE QUI EST FAIT EST FAIT...

LE DOCTEUR EST LÀ

SI TU DOIS TE FAIRE DU SOUCI, C'EST POUR LE MOMENT PRÉSENT

LE DOCTEUR EST LÀ

PRÉSENT ? LÀ, MAINTENANT ?

9-25

BONG!

ASSISTANCE PSYCHIATRIQU

J'AVAIS VU ARRIVER CE BALLON...

LE DOCTEUR LÀ

SCHULZ

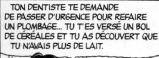

96

PEANUTS

 TU DOIS ASPIRER À LA MATURITÉ, CHARLIE BROWN...

LE DOCTEUR EST [LÀ]

 LES GENS MÛRS FONT PREUVE DE PATIENCE... ILS N'EXIGENT PAS TOUT TOUT DE SUITE !

LE DOCTEUR

 C'EST BON À SAVOIR, PARCE QUE JE NE POURRAI TE PAYER QUE DEMAIN...

3-26

 DEMAIN ? ! AURAIS-TU PERDU L'ESPRIT ? !!

PEANUTS

 ASSISTANCE PSYCHIÁTRIQUE 5¢

LE DOCTEUR EST [LÀ]

 COMMENT PEUT-ELLE FAIRE DES AFFAIRES SANS PUBLICITÉ ?

ELLE JOUIT DE LA MEILLEURE PUBLICITÉ QUI SOIT...

 ALORS, OÙ ÊTES-VOUS TOUS PASSÉS ? ! ARRIVEZ ICI TOUT DE SUITE !

6-28

 LE BOUCHE À OREILLE !

97

PEANUTS ON DIT QUE TU N'ES PAS DE BON CONSEIL...

LE DOCTEUR EST LÀ

... QUE TU PRATIQUES UNE " PSYCHOLOGIE DE QUATRE SOUS "... AUSSI AI-JE UNE QUESTION À TE POSER...

10-4

© 1985 United Feature Syndicate, Inc.

QUELS PROBLÈMES PEUT-ON BIEN RÉSOUDRE AVEC UNE PSYCHOLOGIE DE QUATRE SOUS ?

LE DOCTEUR

DES PROBLÈMES DE QUATRE SOUS !

LE DOCTEUR EST LÀ

PEANUTS CE BOULET DE CANON A ÉVENTRÉ LE TOIT DE TA NICHE !

MAIS OÙ EST-IL PASSÉ ?

JE ME DEMANDE S'IL A TOUCHÉ AUTRE CHOSE ?

4-18

© 1986 United Feature Syndicate, Inc.

LE DOCTEUR EST LÀ

JE ME RENDS COMPTE QUE J'AI BESOIN D'AIDE...

ASSISTANCE PSYCHIATRIQUE 5¢

LE DOCTEUR EST LÀ

IL M'ARRIVE D'AVOIR PEUR DE TOMBER DES CHAISES...

C'EST RIDICULE, CHARLIE BROWN !

C'EST CE QUE NOUS APPELONS UNE PEUR IRRATIONNELLE : LES GENS NE TOMBENT PAS DES CHAISES !

© 1986 United Feature Syndicate, Inc.

PSYCHIATRIQUE 5¢

LE DOCTEUR EST LÀ

TU NE PEUX PAS TE GÂCHER LA VIE EN AYANT PEUR DE QUELQUE CHOSE QUI N'ARRIVERA JAMAIS.

CLUNG!

6-22

C'EST UNE PEUR IRRATIONNELLE, CHARLIE BROWN... RIEN D'AUTRE...

ÇA FERA CINQ CENTS.

ASSISTANCE PSYCHIATRIQUE

LE DOCTEUR EST LÀ

OÙ EST-IL PASSÉ ?

CLUNG!

100

PEANUTS

CE BOULET DE CANON A PULVÉRISÉ TON TOIT...

... PUIS TRAVERSÉ LA BANNIÈRE DU STAND DE LUCY...

LE DOCTE EST SORTI

OÙ A-T-IL BIEN PU ATTERRIR ?

4-19 © 1986 United Feature Syndicate, inc.

PEANUTS

ASSISTANCE PSYCHIATRIQUE 5¢

RÉFLÉCHIS À MES PAROLES, CHARLIE BROWN...

LE DOCTEUR EST LÀ

TOUT DÉPEND DE TOI...

LE DOCTEUR EST LÀ

11-14

ÇA FERA CINQ CENTS.

LE DOCTEUR EST LÀ

TU PRENDS LES CARTES DES PAQUETS DE CHEWING-GUMS ?

LE DOCTEUR EST LÀ

© 1986 United Feature Syndicate, inc.

102

PEANUTS BON, UN ARBRE N'A PAS D'ESTOMAC... IL A DES BRANCHES, MAIS ÇA N'EN FAIT PAS UNE PAIRE DE LUNETTES, PAS VRAI ?

LE DOCTEUR EST LÀ

IL A UN TRONC, MAIS ÇA N'EN FAIT PAS UN CUL-DE-JATTE ! DES FEUILLES, MAIS ÇA N'EN FAIT PAS UN BOUQUIN !

HA HA HA HA !

LE DOCTEUR EST LÀ

" DURANT L'ENTRETIEN, LE PATIENT A ÉTÉ BRUSQUEMENT PRIS D'UNE CRISE D'HYSTÉRIE...

LE DOCTE EST LÀ

© 1987 United Feature Syndicate, Inc.

PEANUTS ASSISTANCE PSYCHIATRIQUE 5¢

LE DOCTEUR EST LÀ

IL PLEUT... PLUS BESOIN DE TE PAYER...

6-4

SI JE TE PAYAIS, TU DEVRAIS ME REMBOURSER...

LE DOCTEUR EST LÀ

© 1987 United Feature Syndicate, Inc.

LES PSYCHIATRES NE REMBOURSENT JAMAIS PERSONNE !

SCHULZ

103

MOI

COMMENT DIRE ?

ASSISTANCE PSYCHIATRIQUE 5¢

LE DOCTEUR EST LÀ

JE CRAINS DE VOULOIR CONNAÎTRE "LE SECRET DE LA VIE".

LES PROTÈGE-COUDES !

LES PROTÈGE-COUDES ?

SI TOUT LE MONDE PORTAIT DES PROTÈGE-COUDES, ON NE SE COGNERAIT PAS AUX ANGLES DES TABLES ET DES MEUBLES, AUX PORTIÈRES DES VOITURES, ETC.

LE DOCTEUR

PENSE AUX DOULEURS ET AUX SOUFFRANCES QU'ON ÉVITERAIT...

PSYCHIATRIQUE 5¢

LE DOCTEUR EST LÀ

DES PROTÈGE-COUDES...

DES PROTÈGE-GENOUX AUSSI T'AIDERAIENT... ÇA FERA CINQ CENTS

LE DOCTEUR EST LÀ

4-3

105

PEANUTS

J'AI RÉFLÉCHI À TON CAS, CHARLIE BROWN...

LE DOCTEUR EST LÀ

TA PEUR DE LA SOLITUDE N'A RIEN D'ANORMAL...

1-22

IL TE FAUT UN CHIEN !

POUR QUI TU ME PRENDS ? KERMIT LA GRENOUILLE ?!

PEANUTS

JE N'AI PAS L'IMPRESSION QUE TON CHIEN SOIT UNE COMPAGNIE SUFFISANTE !

C'EST SOI-DISANT TON PLUS FIDÈLE AMI...

IL DONNERAIT SA VIE POUR TOI, S'IL LE FALLAIT...

1-23

UNE PETITE SECONDE...

106

ASSISTANCE PSYCHIATRIQUE

ÇA TE PLAIRAIT, À TOI, DE PORTER TOUTE TA VIE LE NOM DE "COCHONNET" ?

LE DOCTEUR EST LÀ

3-8

ET TON PÈRE ? COMMENT L'APPELLE-T-ON ?

LE DOCTEUR

"COCHONNET SENIOR" !

LE DOCTEUR EST LÀ

© 1989 United Feature Syndicate, Inc.

PEANUTS.

by SCHULZ

ASSISTANCE PSYCHIATRIQUE 5¢

JE TE SUGGÈRE UNE CHOSE, "COCHONNET"...

LE DOCTEUR EST LÀ

© 1989 United Feature Syndicate, Inc.

TU POURRAIS ESSAYER DE RESTER PROPRE PENDANT UNE PETITE HEURE... QUE SE PASSERAIT-IL, À TON AVIS ?

SAIS-TU COMBIEN UNE MIGRAINE PEUT ÊTRE DOULOUREUSE ?

LE DOCTEUR EST LÀ

3-9

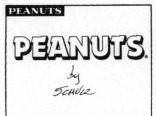

ASSISTANCE PSYCHIATRIQUE 5¢

LE DOCTEUR EST LÀ

TU CROIS POUVOIR ME VENIR EN AIDE ?

JE N'EN SAIS RIEN, "COCHONNET"... QUAND JE TE REGARDE, JE NE VOIS QUE CRASSE ET POUSSIÈRE... TU N'AS PAS BESOIN D'UN PSYCHIATRE...

LE DOCTEUR

© 1989 United Feature Syndicate, Inc.

3-10

... MAIS D'UN ARCHÉOLOGUE !

LE DOCTEUR EST LÀ

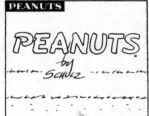

TOUT CE QUE J'AI ENVIE DE FAIRE C'EST DE RESTER AVEC MON CHIEN SUR LES GENOUX...

LE DOCTEUR EST LÀ

© 1989 United Feature Syndicate, Inc.

JE NE SAIS MÊME PAS POURQUOI IL Y CONSENT DE SI BONNE GRÂCE...

AMOUR ET COURTE BRIDE...

10-25

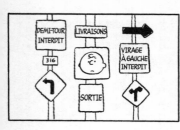

109

TU ÉTAIS ASSISE À TON STAND ET MOI LÀ OÙ JE ME TIENS ACTUELLEMENT...

LE DOCTEUR

ASSISTANCE PSYCHIATRIQUE 5¢

LE DOCTEUR EST LÀ

JE ME SOUVIENS DE TES PAROLES...

TU M'AS CONSEILLÉ DE ME RAPPELER, LORSQUE J'ÉTAIS DÉPRIMÉ, QUE "TOUT NUAGE EST DOUBLÉ D'ARGENT".

J'AIMERAIS QUE TU JETTES UN ŒIL LÀ-DESSUS...

HMM... TRÈS INTÉRESSANT...

LE DOCTEUR EST LÀ

JE VOIS MIEUX LE PROBLÈME...

4-8

© 1990 United Feature Syndicate, Inc.

PSYCHIATRIQUE 5¢

NOUS TENONS LÀ UN NUAGE DÉFECTUEUX...

LE DOCTEUR

SCHULZ

110

ALLONS VOIR CE QU'ELLE A À DIRE...

ASSISTANCE PSYCHIATRIQUE 5¢

ALORS, QUI A UN PROBLÈME, TOI OU TON CHIEN ?

LE DOCTEUR EST LÀ

BIEN. SOUVIENS-TOI QUE TU AS RECOMMANDÉ LE "PATCH TRANSDERMIQUE" ? TU DISAIS QU'IL LE GUÉRIRAIT DE SA BOULIMIE DE COOKIES. ÇA N'A PAS MARCHÉ.

OÙ LUI AVAIS-TU POSÉ LE PATCH ?

LÀ, SUR LA PATTE ANTÉRIEURE.

LE DOCTEUR EST LÀ

© 1992 United Feature Syndicate, Inc.

PEUT-ÊTRE QUE TU AURAIS DÛ LE BÂILLONNER AVEC ?

LE DOCTEUR EST LÀ

HAHAHAHA!

LE DOCTEUR

6-21

DIS-LUI D'ARRÊTER DE SHOOTER DANS MON CABINET.

LE DOCTEUR EST LÀ

SCHULZ

113

PEANUTS

ASSISTANCE PSYCHIATRIQUE 47¢

LE DOCTEUR EST LÀ

EH BIEN, JE TE REMERCIE DE TON AIDE.

9-10

MAIS JE ME DEMANDE SI UNE SECONDE OPINION...

SI TU N'AS PAS PEUR DE RECEVOIR SUR LE CRÂNE UN COUP DE CE TABOURET SUR LEQUEL TU ES ASSIS...

LE DOCTEUR EST LÀ

TOUT BIEN PESÉ.. LA PREMIÈRE EST EXCELLENTE...

© 1992 United Feature Syndicate, Inc.

PEANUTS

ASSISTANCE PSYCHIATRIQUE 5¢

LE DOCTEUR EST LÀ

BON, EN TOUT CAS.. MERCI.

9-10

CHANGER DE MÉDECIN EST LA CHOSE LA PLUS DIFFICILE QUI SOIT...

J'AIMERAIS EN CHANGER, MAIS J'AI PEUR...

PEUR ?

QU'ELLE ME FRAPPE DÈS QUE J'AURAI LE DOS TOURNÉ....

© 1991 United Feature Syndicate, Inc.

114

PSYCHIATRIQUE 5¢

LE DOCTEUR EST LÀ

C'EST UN PEU DIFFICILE À EXPLIQUER.

ASSISTANCE PSYCHIATRIQUE 5¢

LE DOCTEUR EST LÀ

J'AIME RIRE.

QU'Y A-T-IL DE MAL À CELA ?

PARFOIS AVEC MA SŒUR, ON SE RACONTE DES BLAGUES EN MANGEANT... MAIS QUAND MAMIE EST DANS LES PARAGES, ÇA NE LUI PLAÎT PAS VRAIMENT !

LE DOCTEUR

ELLE DIT TOUJOURS : "QUI RIT AU DÎNER, PLEURE AU COUCHER."

LE DOCTEUR EST LÀ

LE DOCTEUR EST LÀ

QUE DOIS-JE FAIRE À TON AVIS ?

NE DÎNE PAS ! COMMANDE UNE PIZZA.

LE DOCTEUR EST LÀ

11-8

SCHULZ

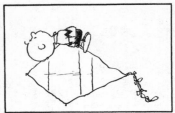

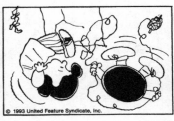

117

OH NON ! REGARDEZ QUI VOILÀ...

LE DOCTEUR EST LÀ

ASSISTANCE PSYCHIATRIQUE 5¢

TU ES IMMONDE, COCHONNET !

LE DOCTEUR EST LÀ

TU VAS RENTRER CHEZ TOI TE NETTOYER... À TON RETOUR, NOUS AURONS UNE PETITE CONVERSATION...

4-17
© 1994 United Feature Syndicate, Inc.

OUAH ! TU ES SUPERBE ! NOUS POUVONS MAINTENANT DISCUTER DE L'IMPORTANCE DE L'APPARENCE...

LE DOCTEUR

NOUS REFUSONS D'Y CROIRE, MAIS C'EST VRAI...

LE DOCTEUR EST LÀ

NOUS NOUS PLAISONS À PENSER QUE L'APPARENCE N'EST PAS...

LE DOCTEUR EST LÀ

SOUPIR

LE DOCTEUR EST LÀ

118

PSYCHIATRIQUE 5¢

LAISSE-MOI T'EXPLIQUER...

LE DOCTEUR EST LÀ

ASSISTANCE PSYCHIATRIQUE 5¢

C'EST UNE TECHNIQUE DE RELAXATION.

LE DOCTEUR EST LÀ

JE VOUDRAIS QUE TU T'IMAGINES DANS UNE BELLE PRAIRIE.

REPRÉSENTE-TOI DE DOUX RAYONS DE SOLEIL QUI TE RÉCHAUFFENT LE CORPS.

PUIS IMAGINE LA PLUS DOUCE DES BRISES CARESSANT TON VISAGE TOURNÉ VERS LE CIEL.

TU Y ARRIVES, CHARLIE BROWN ?

LE DOCTEUR EST LÀ

5-29

TU ES DEBOUT DANS CETTE MAGNIFIQUE PRAIRIE... À QUOI PENSES-TU ?

ON N'EN EST QU'AU PREMIER INNING ET L'ÉQUIPE ADVERSE A DÉJÀ MARQUÉ QUARANTE RUNS.

LE DOCTEUR

119

SOUPIR

ASSISTANCE PSYCHIATRIQUE 5¢

LE DOCTEUR EST LÀ

AINSI TU TE PRÉTENDS DÉPRIMÉ...

11-5

OUI, ON A EU UNE MAUVAISE SAISON...

IL N'Y A QUE LE BASE-BALL QUI T'INTÉRESSE ?

EN FAIT, NOUS N'AVIONS PAS UNE MAUVAISE ÉQUIPE... C'EST NOTRE AILIER DROIT QUI N'ALLAIT PAS !

QU'EST-CE QUI CLOCHAIT CHEZ ELLE ?

C'ÉTAIT LA PIRE JOUEUSE DE TOUTE L'HISTOIRE DU SPORT !

LE DOCTEUR

MAIS ELLE ÉTAIT MIGNONNE, NON ?

ELLE N'AURAIT PAS RATTRAPÉ UNE BALLE, MÊME SI TU LA LUI AVAIS DONNÉE !

MAIS SI TU SAVAIS, TOI, LANCER UNE BALLE, PEUT-ÊTRE POURRAIT-ON ESPÉRER GAGNER QUELQUEFOIS ?

ÇA FERA CINQ CENTS.

LA PSYCHIATRIE A DRÔLEMENT CHANGÉ CES DERNIERS TEMPS...

POURQUOI PAS ?

ET QUI SAIT ?

ASSISTANCE PSYCHIATRIQUE 5¢

LE DOCTEUR EST LÀ

JE VIENS D'AVOIR UNE IDÉE ATROCE...

QUE SE PASSERAIT-IL SI JE TROUVAIS ENFIN LA PETITE FILLE AUX CHEVEUX ROUX ET SI JE LUI PLAISAIS VRAIMENT...

2-4

ET SI JE M'APERCEVAIS QU'ELLE NE ME PLAÎT PAS AUTANT QUE JE L'AVAIS CRU ?

LE DOCTEUR EST LÀ

COMMENT FERAI-JE POUR LE LUI DIRE ? COMMENT POURRAI-JE ROMPRE AVEC ELLE ? COMMENT POURRAI-JE LA QUITTER ?

TU TE TRACASSES À L'IDÉE DE QUITTER QUELQU'UN QUE TU N'AS MÊME PAS RENCONTRÉ ?

ASSISTANCE PSYCHIATRIQUE 5¢

LE DOCTEUR EST LÀ

SANS ESPOIR... TU ES VRAIMENT SANS ESPOIR...

JE POURRAIS PEUT-ÊTRE LA LAISSER TOMBER MAINTENANT ET LA RENCONTRER PAR LA SUITE...

NON, CE N'EST PAS UN STAND DE LIMONADE.

LE DOCTEUR EST LÀ

PARLONS UN PEU DE TA VIE, CHARLIE BROWN... IMAGINE QUE...

LE DOCTEUR

ASSISTANCE PSYCHIATRIQUE 5¢

QUE TA VIE SOIT COMME UNE MAISON...

LE DOCTEUR EST LÀ

TU VEUX QUE TA MAISON SOIT CONSTRUITE SUR DES FONDATIONS SOLIDES, NON ?

LE DOCTEUR

BIEN SÛR QUE SI...

9-29

LE DOCTEUR EST LÀ

DONC, NE CONSTRUIS PAS TA MAISON SUR DU SABLE, CHARLIE BROWN...

LE DOCTEUR

ASSISTANCE PSYCHIATRIQUE 5¢

LE DOCTEUR EST LÀ

...ET N'UTILISE PAS DE CLOUS ROUILLÉS !

ASS

123

PEANUTS

ASSISTANCE
PSYCHIATRIQUE 5¢

LE DOCTEUR
EST LÀ

TU DISAIS QU'EN
PRENANT DES
LEÇONS DE
DANSE, JE NE ME
SENTIRAIS PLUS
JAMAIS SEUL.

© 1995 United Feature Syndicate, Inc.

2-20

TU ÉTAIS
CENSÉ DANSER
AVEC DE VRAIES
FILLES...

JE CONTINUE DE CROIRE
QU'EMILY ÉTAIT RÉELLE...
J'IGNORE CE QUI S'EST PASSÉ...

LE DOCTEUR
EST LÀ

JE TE RÉPONDRAIS
VOLONTIERS, MAIS
TU AS ÉPUISÉ TES
CINQ CENTS...

SCHULZ

PEANUTS SI TU N'ES PAS
HEUREUX, CHARLIE BROWN,
C'EST PROBABLEMENT LA FAUTE
DE TON CHIEN.

LE DOCTEUR
EST LÀ

www.katoonz.com

TON CHIEN EST
CENSÉ TE RENDRE
HEUREUX.

6-16

© 1998 United Feature Syndicate, Inc.

JE POURRAIS
PEUT-ÊTRE LUI OFFRIR
UN BALLON...

SCHULZ

LE DOCTEUR
EST **LÀ**
PAS DE PROBLÈME

ESPOIR

ASSISTANCE
PSYCHIATRIQUE 5¢

LE DOCTEUR
EST **LÀ**

C'ÉTAIT MA
GRAND-MÈRE...

ELLE DISAIT
TOUJOURS : "RIS À
TABLE, PLEURE
AU LIT."

JE NE SAIS PAS... LES GRAND-
MÈRES DISENT TOUJOURS
DES TRUCS BIZARRES...

LE DOCTEUR
EST **LÀ**

MAIS IL ME SEMBLE QUE JE COMMENCE
À LA CROIRE... JE CROIS QUE J'AI PEUR
D'ÊTRE HEUREUX...

6-15

COMMENT
PEUX-TU AVOIR
PEUR D'ÊTRE
HEUREUX ?

CHAQUE FOIS QUE
JE SUIS TROP HEUREUX,
IL M'ARRIVE UN TRUC
DÉSAGRÉABLE...

TU ES
HEUREUX EN CE
MOMENT ?

OUI, JE
CROIS...

LE DOCTEUR
EST **LÀ**

CRAC!

PARLE-MOI ENCORE
DE CETTE GRAND-MÈRE...

LE DOCTEUR
EST **LÀ**

126

MADAME LUCY
VOUS PRÉDIT L'AVENIR

TU SAIS QUOI, CAPITAINE ? J'AI DÉCOUVERT QU'EN FIXANT CETTE BALLE JE PEUX VOIR LE FUTUR !

SI JE ME CONCENTRE SUR CETTE BALLE, JE VOIS TOUTES LES PARTIES QUE NOUS ALLONS JOUER...

JE VOIS QUE TU DEVIENDRAS UN GRAND PITCHER...

JE VOIS QUE NOTRE ÉQUIPE VA GAGNER PLEIN DE CHAMPIONNATS... JE VOIS...

3-15

DÉSOLÉ DE T'INTERROMPRE, MAIS PENDANT QUE TU VOYAIS TOUTES CES CHOSES, LEUR BATTEUR A FAIT LE TOUR DE TOUTES LES BASES !

JE TE PRÉDIS UN GRAND AVENIR, FISTON !

Panneau 1:
PSYCHIATRIQUE 5¢
LE DOCTEUR EST LÀ SORTI ET VA SAVOIR

Panneau 2:
PSYCHIATRIQUE 5¢
TU COMPRENDS ?
LE DOCTEUR EST LÀ

Panneau 3:
NOUS PARLONS DE COMMUNICATION, CHARLIE BROWN.
LE DOCTEUR EST LÀ

Panneau 4:
CE QUI NE SIGNIFIE PAS FORCÉMENT DES PAROLES... LE LANGAGE DU CORPS EST PARFOIS BIEN PLUS ÉLOQUENT.

Panneau 5:
LE LANGAGE DU CORPS ?

© 1998 United Feature Syndicate, Inc.

Panneau 6:
INTÉRESSANT... LE LANGAGE DU CORPS... LA COMMUNICATION...
LE DOCTEUR EST LÀ

Panneau 7:
MON AILIER DROIT EST VRAIMENT STUPIDE. J'ESSAYE DE LUI FAIRE COMPRENDRE DES TRUCS... MAIS RIEN À FAIRE...

www.kdsoup.com

Panneau 8:
C'EST PEUT-ÊTRE UN PROBLÈME DE COMMUNICATION... QU'EN PENSES-TU ?

Panneau 9:
PSYCHIATRIQUE 5¢   8-30
LE DOCTEUR EST LÀ

Panneau 10:
LES PSYCHIATRES SONT TRÈS DOUÉS EN LANGAGE DU CORPS...

TU PEUX CHANGER TA VIE... ESPÈCE DE GROS...

JE NE VEUX PAS RESTER TOUTE MA VIE COMME QUE JE SUIS...

ASSISTANCE PSYCHIATRIQUE 5¢

LE DOCTEUR EST LÀ

EN FAIT, JE ME DEMANDE SI JE SERAI CAPABLE UN JOUR D'APPRENDRE À ÊTRE LE ROI DE LA FÊTE !

TOI ?

HA HA HA HA HA !

LE DOCTEUR EST LÀ

4-4

EXCUSE-MOI, ÇA M'A ÉCHAPPÉ... OÙ EN ÉTIONS-NOUS ? AH OUI, JE ME SOUVIENS...

LE DOCTEUR EST LÀ

TOI ? LE ROI DE LA FÊTE ?

HA HA HA HA !

LE DOCTEUR EST LÀ

ALORS, COMMENT S'EST PASSÉE TA SÉANCE CHEZ LE PSYCHIATRE ?

JE LUI AI DEMANDÉ SI JE SERAI CAPABLE UN JOUR D'APPRENDRE À ÊTRE LE ROI DE LA FÊTE ET...

TOI ? HA HA HA HA !

JE N'AI JAMAIS ÉTÉ INVITÉ À UNE FÊTE...

129

TABLE

Rivages poche /Petite Bibliothèque
Collection dirigée par Lidia Breda

Giorgio Agamben
  Stanze (n° 257)

Anonyme chinois
  Les Trente-Six Stratagèmes (n° 152)

Apulée
  Le Démon de Socrate (n° 110)

Hannah Arendt
  Considérations morales (n° 181)
  Le Concept d'amour chez Augustin (n° 288)

L'Arétin
  Sonnets luxurieux (n° 192)

Aristote
  L'Homme de génie et la Mélancolie (n° 39)
  Rhétorique-Des passions (n° 40)
  Éthique à Eudème (n° 129)
  La Vérité des songes (n° 162)

Marc Augé
  L'Impossible Voyage (n° 214)
  Les Formes de l'oubli (n° 333)

Augustin
  La Vie heureuse (n° 261)
  Le Bonheur conjugal (n° 347)

Barbey d'Aurevilly
  Du dandysme et de George Brummell (n° 233)

Bruce Benderson
  Pour un nouvel art dégénéré (n° 259)
  Sexe et solitude (n° 335)

Walter Benjamin
  Je déballe ma bibliothèque (n° 320)

Boèce
  Consolation de la Philosophie (n° 58)

Georg Büchner
  Lenz (n° 244)

Achevé d'imprimer sur rotative
par l'Imprimerie Darantiere à Dijon-Quetigny
en janvier 2002

N° d'impression : 21-1544
Dépôt légal : janvier 2002